KB012539

blackD

Contents

지겨울 정도로
더디게 흘러가는 시간을
버텨내야만 했다.

완전히
혼자였던 것은 아니다.
꿈뻑..
나를 좋아한다며 반년 가까이
연락을 해오던 사람이 있었다.
무시하는 건
어려운 일이
아니었으나
언젠가
그가 장미 꽃다발을
내게 건네던 날

투둑..

겨우 참아왔던 눈물이
새어 나오고 말았다.

파삭…
그날이
처음이었다.
아저씨를 지워내야겠다는
결심을 한 것은.
그렇게 나는
첫 연애를 시작했다.
그렇게 세월은
또 흘렀고,
어느 날 불현듯
날짜를 세어보니

스물여덟 겨울을,
나는 살고 있었다.

벌
의준 씨!
컥!
…네, 주임님!
무슨 일 있으세요?

어휴 추워~
부장님이 의준 씨를 부르시네. 또 심부름 시키실 일 있으신가 봐.
아, 얼른 올라가겠습니다!
쯧!
에헤이.

아니 왜 자꾸 자기 개인적인 일에 사람들을 쓰는 거야.
의준 씨, 부장님 되게 별로죠.
네? 아, 아니에요.
대리님도 참. 신입한테 그런 걸 물으면 어떡해요.
ㅋㅋ
미안해요, 내가 가려고 했는데, 나는 다른 부서에서 호출이 와서 바로 가봐야 할 것 같아서요.
아닙니다. 제가 해야 할 일인데요.

아 맞다.
의준 씨!
우리 다음 주에
회식 있어요.
미리
말해 놓으라는 거 보니까,
빼기 쉽지 않을 것 같아.

…으아.
부장님도
가세요?
부장님이
안 가셨으면
제가 이렇게 기운 빠진
얼굴일까요?
파하
하아….

푸하핫…
저 빨리
올라가 볼게요.
그래요~

탁…

이번 신입은
아주 끼고 도시네요?
마음에 드세요?
착하고
열심히 하잖아요.
내가 챙겨줘야지.
후후

나는 중소기업
영업부에 취직했다.
지이잉-

나쁘지 않은 성적으로
대학을 졸업했지만,
스윽..
세상에는 나보다
더 많은 준비된
사람들이 있었고

학과 공부에 아르바이트,
형의 병간호까지.
떨어졌네….
하루하루를 쫓기듯이 살며
어느 것 하나 제대로
집중하지 못했던 탓일까.
결국 아르바이트를
전전하며 지내던 중,

아는 분이 하는 곳이에요.
여기가 일은 좀 바쁜데,
초봉부터 꽤 세요.
정말 제가…
가도 될까요?
좋은 기회로
중소기업 영업부에서
일하게 되었다.
그럼요.
자신 있게
추천했는걸요.

돌아가신 부모님을 대신해
가장이 되었던 형의
모습을 떠올리면
나도 멋있게
해낼 수 있을 줄 알았는데.

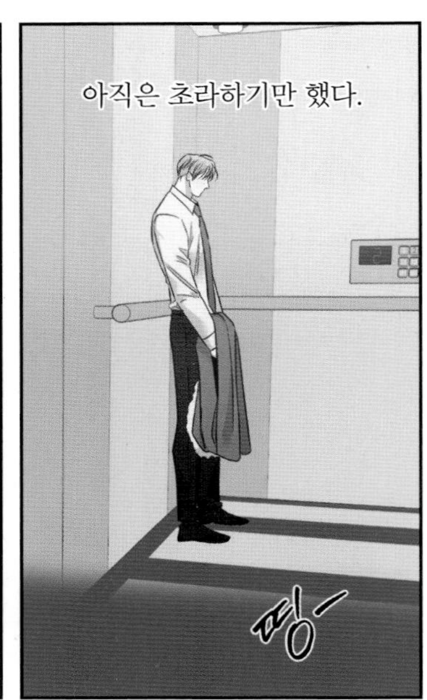
아직은 초라하기만 했다.
띵-

하아…
이번에도
콜라 심부름….
비가 많이 오네…

부장님은 종종 편의점에서
가벼운 심부름을 시키곤 했다.
가장 가까운 편의점은
걸어서 15분, 결코 가깝지
않은 거리였다.

내가 입사하기 전에는
이전에 있었던 신입이
도맡았다고 한다.
그런데 영 하는 짓이
어리바리해 잘렸다며,
대리님은 웃었지만

왠지 남의 일 같지 않아서
그 말이 슬프게만 들렸다.
꼬옥..
뭐든
열심히 해야 돼.

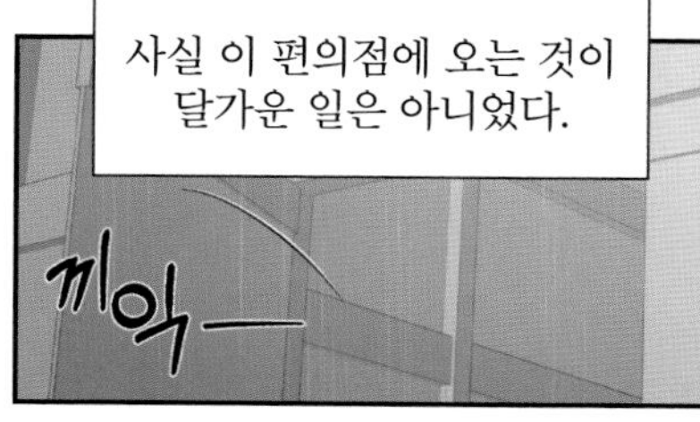

사실 이 편의점에 오는 것이
달가운 일은 아니었다.
끼익—

그 이유 중
하나는
꽤 멀어서 궂은 날씨에는
오가기가 힘들다는
이유였고

스윽..
나머지
하나는

아저씨의 명함에서
보았던 회사가
이 편의점의
바로 맞은편에 있었기
때문이었다.

어느덧 4년이
다 되어간다.

…원입니다~

끼익..
저벅..

어? 비가…
그쳤나?
잊고 싶었고

잊으려
노력했으나
스윽..

여전히 잊을 수 없는
누군가가 떠올랐다.

그쳤네.

어, 주연아.
어디야? 다 왔어?
응! 어!
여기 여기!

의준아아~!

우리 왔어~

다음은
CIK 그룹 관련
소식입니다.
얼마 전까지
내부에 대대적인
경영진 교체가 있었다는,
이야기가 증권가에
파다했었는데요.
이에 대해
자세한 이야기
들어보겠습니다.

시끌
가장 먼저
차일권 회장의 사망 기사가
보도된 지 얼마 지나지 않아,
시끌
그의 아들인 차재현 이사가
CIK 그룹의 새로운 회장으로
승계되었다는 소식을
전해드렸죠.
주주들을 포함해 외부에서도
여러 우려가 많았으나
현재까지 큰 차질 없이
경영해나가고 있습니다.

예, CIK 그룹의
이 대규모 조정은
약 3년이라는 시간을 들여
꾸준하게 진행되었는데요.
창립 당시부터 이어져 오던
거래처들을 바꾸거나
사업 구조에 변화를 주는 등
다양한 시도를 한 것으로
알고 있습니다.

멍..
앞서 말씀드린 것처럼
대대적인 경영진 교체를
대비하기 위한
전략이었을지도 모르겠네요.
…그럼
하게 된…가요?
예, 결국…
…하게 된….

손잡을까?
물론 잊으려고도 했고, 행복한 연애를 위해 노력도 해봤지만,
…사람이 너무 많잖아요.
너무 덥기도 하고.
아, 그렇네.
내가 생각 못 했어, 미안.
정작 상대는 다르게 느꼈을지도 모른다는 생각을 하면…
너,

네가 못해줬다고
생각하진 마.

넌 충분히
잘해줬어.
왜 저렇게까지
열심일까,
생각할 정도로 엄청.
그러니까
쓸데없는
걱정하지 마.

알았어.

후우..

어쭈,
이제 제법 담배 피우는
폼이 나온다.
으쌰

좋은 거야
나쁜 거야?
이왕 피울 거
어정쩡한 것보단
낫지.

그나저나
군대 가서도 안 피우던
애가…
진짜 회사 일이
힘들긴 힘든가 보다.

회식 자리에서
바람 쐬러 나가려면
방법이 없으니까.
스윽..
뭐, 그건 그렇지~
그대로 도망가고 싶어져서
그게 문제지만.

…….

뭐 봐? 애인한테
연락이라도 왔어?
응?
아니…

연락 안 온 지
3주가 넘어가니까
괜히 기다리게 되네….
?

…뭐어~~???
……!

…….
…….

…그럴 거면
헤어지는 게
낫지 않아?
으응? 아,
그 정도는 아닌데….
너,

아직 그 아저씨
못 잊었잖아.

…아니야,
잊었어.
…뭐,
아무튼 진작에
헤어졌어야 할 새끼야.

그런데
사귀었던 계기가
괜히 미안해서,
화내야 할 것도
봐주고 봐주다 보니까
이렇게까지 된 거 아냐?
네 연애니까
더 말 안 하겠지만,

…옆에서
보고 있으면,
너 정말 조금도
행복해 보이지가
않아서,
그냥…
친구로서 좀
속상하다.

생각해줘서
고마워.

야, 김태영!
주정 부리지 말구
얼른 기어들어와~!
아,
간다구우…~!

잘 지내~
또 보자~!

잘 가, 얘들아.
또 보자.

부웅ㅡ

춥다. 나도 빨리
집에 가야지.

휙—

지이잉—
…응?
전화가…

딸깍
모르는 번호네….
여보세요?

어. 여보세요?
멈칫
의준이야?

나…….
…채,
열쇠 복사
현이 형…?

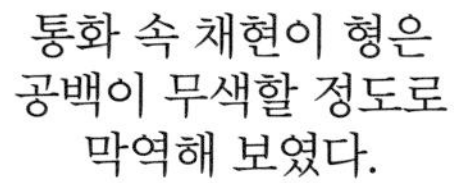
통화 속 채현이 형은 공백이 무색할 정도로 막역해 보였다.

혀, 형? 어떻게…
어어 의준아~ 오랜만이네, 잘 지냈고?
조금은 어이없을 정도로.

……
저는…
아, 이런 얘긴 통화 말고 만나서 하자. 어때?
이번 주 주말, 시간 있어?

특별히 할 거 없으면 저녁이나 같이 먹을까?
위치는……

오래 고민했고,
오래 생각했던 만큼

그동안 떠안고 있던
나의 상념들이 너무 작게만
느껴져서

톡..
톡..

어떤 이야기를
하게 될까.

어디까지 물어봐도
되는 걸까.
그날 밤,
무슨 일이 있었던 건지
물어봐도 될까.
아저씨는 어떻게 지내고
있는지 물어봐도 될까.
톡..
톡..

…….

…물어봐서
뭐하려고?
안녕.

스윽..

묻고 싶은 것들은 많았으나,
그 질문들에 답을 들었다고 해서

오랜만이에요.

변하는 것들이 있을까.

…….

들어가자.

채현이 형과 만나기로 한
약속 장소는
처음,
아저씨와 함께 갔던
식당이었다.

드륵
아이고, 차 회장님.
또 들러주셨네요.
오늘도 이것저것
드려볼 테니
맛 한번 봐보세요.

이야~
고맙습니다.
많이 많이
넣어주세요~~

여기, 건우 형이랑
자주 왔던 곳이야.
조용하고, 맛있고~
사장님도 친절하시고.
기분 좋은 식사 하기엔
여기만 한 곳이
잘 없더라고.

…….

저도…
한 번, 와봤어요.

아, 그래? 형이랑?
네. 여기서 저녁 사주셨거든요.

원래 제가 사드렸어야 했는데,
비싼 식당이었는지 아저씨가 계산해 주셨어요.

…그러고 보니…

2천 원으로
3만 원을 때우려고?
남은 건 다음에
꼭 갚을게요.

갚기로
한 빚이 있는데
그것도 못 갚았네요.
기억 못 하실 것
같지만….

그건 그렇고,
어떻게 지냈어?
퍼뜩
…네?

씨익
취업이나, 연애사업 같은 거 말이야.
잘하고 있어?

아! 그게…
…네, 취업도, 연애도 하고 있어요.
둘 다 잘되고 있는 것 같진 않지만… 열심히 하려구요.

오, 애인이 있어?
어떤 놈이야? 얼굴 좀 보자.
사진, 사진~

아, 저, 저희 둘 다 사진을 잘 안 찍어서…
뭐? 연애하면서 사진도 안 찍고 뭐 했어?
아하하….

그럼 일은.
어디서 하고 있는데?

영신물산이라고…
○○로 쪽에 있는
중소기업이에요.
어! 우리 회사랑
그렇게 멀지 않은데?
네. 거기에
영업부로 취직해서
일하고 있어요.

우와~
영업부구나…

안 어울린다고
말해도 되나?
…그런 말
많이 들으니까
괜찮아요….

오해는 말고.
못할 것 같다는
소리는 아니야~
적응이
조금 걸릴 것
같다는 거지.

아,
술, 제가 따라드릴게요.
안절
부절
응?

나름 영업부라 이거야?
홱
됐어, 여기서까지 사회생활할 필요 없어.

그래도요….
그냥 내가 줄 테니까 받아, 받아.

쪼르르..
…그러고 보니,
형은요?
감사합니다.
잘 지내셨어요?

나야 뭐.
형이 열심히 일하고 있으니 조금 여유로운 편이지.

아….
아저씨랑 같이 일하고 계신 거예요?
응.

너랑 마지막으로 통화한 날,
형이랑 조금 의견차가 있긴 했었지만…

잘 풀렸어.
네 덕분에.

…네?
그게 무슨 말…

형이 그렇게 안 보여도, 좀 강박적인 면이 있거든.
너무 완벽하게 끝을 내려는 사람이라 가끔은 곤란해.

아무튼 결론은,
네 덕분에 형이랑 내 이해관계가 잘 맞아떨어져서…
지금은 잘 지내고 있다는 이야기.

그러니까,
네가 생각했던 것만큼 잘못된 건 없었다는 소리야.
채현이 형은 이해 못 할 문장들을 계속 늘어놓았다.
…저,
무슨 말인지 잘, 모르겠어요….

그치?
씨익

아~ 그럼
어쩔 수 없네.

……!
척

스윽..

다시 연락을 해서,
아주 혹시나 좋은 방향으로
이어진다고 해도…

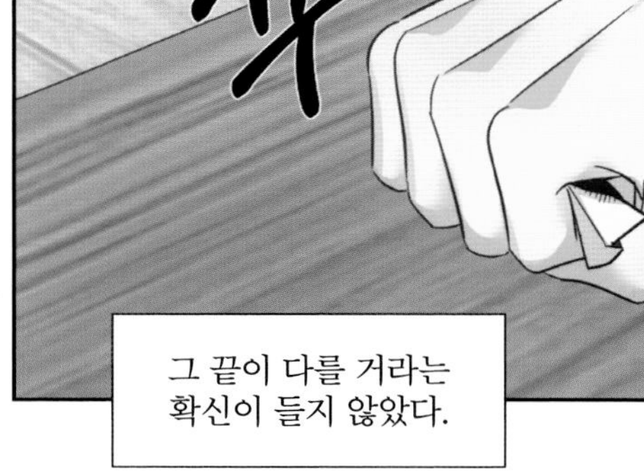

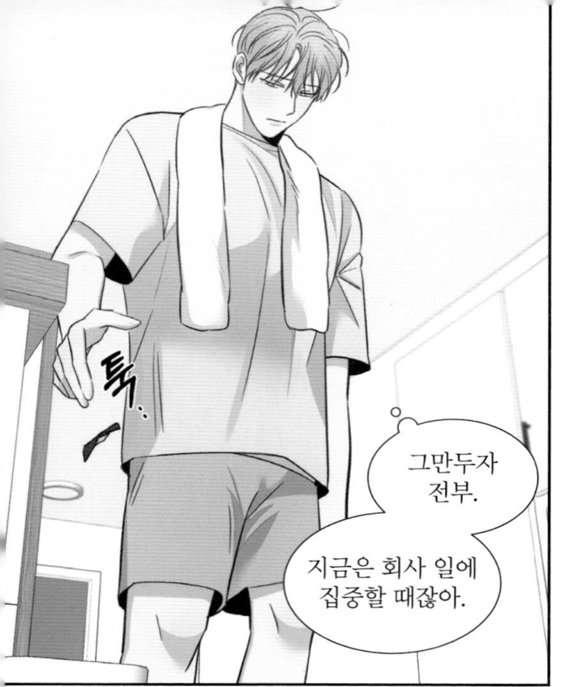
톡..
그만두자 전부.
지금은 회사 일에 집중할 때잖아.

주연이 말대로…
털썩..
남자친구한테도 제대로 헤어지자고 말하는 거야.

토독
언제 시간 돼? 얘기할 게 있어. 너도 예상하고 있을 얘기일 지도 모르겠다. 전화 줘.

그래, 애초부터…
탁..

허무할 일을
만들지 말자.

의준 씨~

부장님이
또 부르시네.
끼익
아, 네!
얼른 가겠습니다.
평일은 언제나
정신없이 지나갔다.

으아아 오늘도
엄청 바쁘네.
다들 회사에 있을 때
시간이 너무 더디게
간다는데,
업무량이
많은 탓인지 나는 오히려
시간이 촉박했다.

의준 씨~
이것 좀 볼래요?
아, 네!
지금 가겠습니다!
아직 이것도
다 못 끝냈는데…!

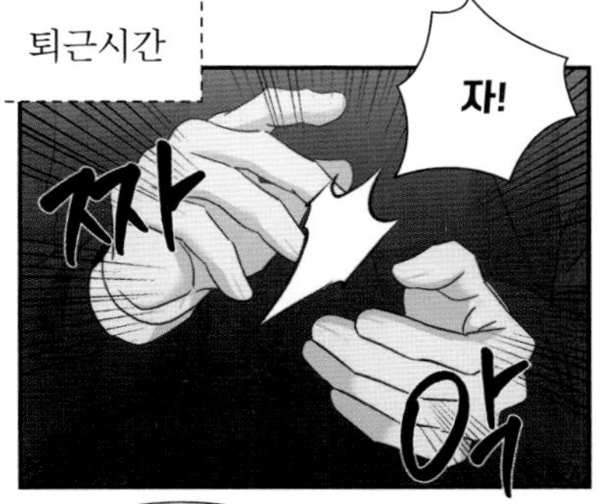

퇴근시간
자!
짜
악

저번 주에 말한 대로 오늘은 회식이다.
당연히 빼는 사람들 없겠지?
예에~!

큰일 났다….
부장님이 맡기신 프레젠테이션, 아직 마무리를 다 못 했는데….

아, 의준아.
…!!
네! 부장님!

내일 발표는 준비 다 했지?
삐삣
…네!
거의요…!

그래, 그래. 신입 때 이런 걸 많이 해봐야 나중에 더 잘한다니까.
너 이런 거 맡겨주는 부장 또 없다?
이틀 전에도 시켰으면서….
열심히 하겠습니다!

자! 가까운 데로 잡아놨으니까, 다들 걸어서 이동하자고.
예에….

어떡하지, 정리해야 할 게 조금 남았는데…
하아…
어쩔 수 없지.
맥심

탁
…회식 마치고 다시 와서 마무리해야겠다.

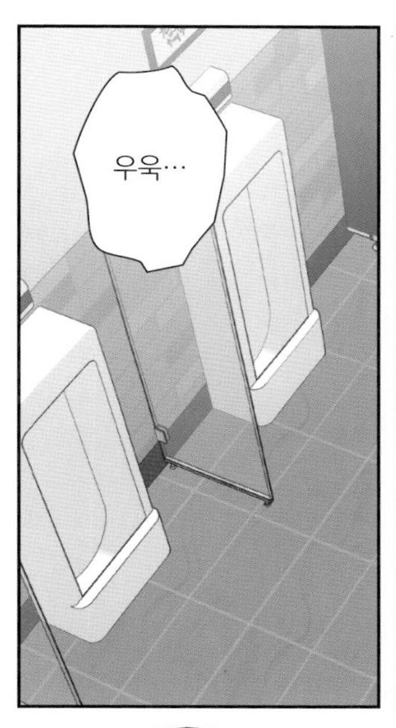
우욱…

의준 씨, 괜찮아?
우윽..
지금이라도 약 먹을래?
욱…
아, 아니에요….

뭔가 들어가면 다시 토할 것 같…
우우욱
아이고야….

부장님이 신입을 좀 과하게 챙기는 경향이 있어.
고생이네.
비틀..
신경 써주셔서 감사합니다.

그래도 이제
슬슬 해산할 분위기니까
조금만 참아.
벌컥!
대리님!
응?

이제
자리 파했습니다.
각자 집에 가면
될 것 같아요.
오~ 잘됐네.
의준 씨 나랑
집 가는 방향 같지?
가자. 태워다 줄게.
대리 불렀어.

아, 괜찮습니다.
사실…
업무가
조금 남아서 회사로
돌아가 보려구요.
어엉?

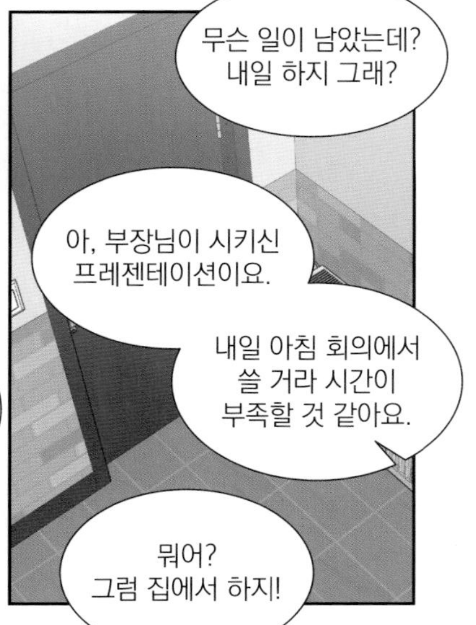
무슨 일이 남았는데?
내일 하지 그래?
아, 부장님이 시키신
프레젠테이션이요.
내일 아침 회의에서
쓸 거라 시간이
부족할 것 같아요.
뭐어?
그럼 집에서 하지!

USB에 담아오질 못해서
어차피 회사로
다시 가야 해요.
아하하..
아이고야….

알았어.
그럼 내일 봐요.
네!
살펴 가세요.

탁..

츄욱..
하아….
벌써 피곤하네….

타닥
타닥…
타닥
타닥
타닥…

타닥
타닥
타닥
타닥…

째깍
째깍
와아….

끼익~
다 했다아아아아….

그래도
막상 다 하니까
뿌듯하네.
딸깍
대본 연습은
집에 가면서 하고,
파일은 USB에
넣어둬야지.
딸깍

75개 항목 (복사중)
대상 : 이동식 디스크 (E:)
남은 시간 : 약 11분 남음
음….
시간이 좀
걸리려나.

그동안 담배
하나만 피울까….
어디 보자…

텅
어? 언제
다 피웠지?

…으음.
바람도 쐴 겸,
편의점이나
다녀와야겠다.

여느 때와 같은 날이
지나고 있었다.

터벅
터벅
음… 내일 발표
대본은 이 정도면
되려나?

끼익
제대로 외우고
자야지.
실수하면 안 돼.

여긴 수정하는 게
좋겠다.
토독
토독

저벅
저벅
큰일이네….

내가 지금
어떤 표정을 짓고 있는지
모르겠어.
괜찮은 건가?

빨리 담배만
사고 나가자.
울렁..
울렁..
저, ㅇㅇ실버
하나 주세요.

네에.
실버 하나요.

담배 피우니?

…….
…네.

안 좋은데.

…….
감사합니다.
안녕히 계세요.

여의준이.
멈칫
잠깐
얘기 좀 하자.
…….

후우..

담배 피운다며.
해도 돼.

…….

후우..
아저씨 앞에서
피우려니까
괜히 어색하네….

흘긋..
?

…그러고 보니.
잘 지냈니?
스윽..

아, …네.
그럭저럭이요.
일은.
…이 근처에 있는
중소기업에
취업했어요.
아하.

별일
없었나 보네.
톡

…….
좋은 일은
있었어요.
병원에 누워 있던
형이 퇴원했거든요.

그리고…

…연애도
하고….

후우..
잘됐네.

…….
그 말 한마디로,

아저씨의
덤덤한 태도가
전부 이해되었다.
네, 잘 지내고
있어요.

아저씨는 더 이상
나를 좋아하지 않는다.
예상한
일이잖아.
그러니까 그동안
나타나지 않으셨던
거겠지.

…아.

잠깐
이리 와봐.
네?

와보시라고.

스윽..
…왜, 왜요..?

덥
석
앗…

이거 또
술 퍼마셨나 보네.

화
술냄새 난다.
악

회,
회식이,
있었… 거든요.
푸욱..
아직도
회식을 이렇게 늦게까지
하는 회사가 있나?
그, 그런 건
아니구요….

마음도 없으면서
이런 행동하시는 건
여전하시네….
그, 그나저나…

아저씨는 왜 이렇게
늦은 시간에…
일하다
나오신 거예요?
아, 채현이 형한테
들었거든요,
같이 일하신다고….

푸흡..

멈칫
…아,
이게 아니지.

몇 마디
나눴다고 다시
편해져서….
이러다간
다시 이 분위기가
그리워질 거야,
그만두자.

드륵..
시간이 늦었네요.
저는 이만 가볼게요.

너무 늦게까지
일하지 마시구요.
꾸벅
그럼…
안녕히 계세요.

저벅
저벅
저벅..

여의준.

스윽..
…네?

나한테 빚진 돈,
갚으셔야지.

그냥 가시게?

…아.

혹시…
남은 건 다음에
꼭 갚을게요.

그걸
말씀하시는 건가?

…아,
그건 제가…

이번 주 저녁.

시간 비워둬.

금요일 저녁
명함까지 구겨버렸는데… 결국 전화번호를 받아버렸네.
010-4028-XXXX
뚜루루
뚜루루

딸칵
어어.
빠르다….
아, 아저씨? 어디세요? 저 도착했는데….

일이 안 끝나서. 먼저 시켜놔.
아, 네! 알겠어요. 천천히 오세
뚝
…

끊는 것도 빠르시다….

늦으시네….

3년 만에 만나서
술자리라니,
어색하다.
만지작
무슨 말을 할지
생각이라도
해둬야 하나….

…아니야 됐어.
도리
도리
그냥 빚진 거
갚으려고
나온 거잖아.
적당히 있다가
계산하고
헤어지면 돼.

…아니다.
…조폭들이 운영하는 회사라고 했잖아.
너무 자세히 알려고 하진 말자.

꼴깍…

하아…
…혼자 마시기 싫은데 앞에 있으니 자꾸 들어가네….

이제 다 끝났…
?

……….

부웅─

끔뻑
으음….

부비적…
어….
어디
가는 거예요…?

네 집.
…네?
저 이사해서
주소가…
바뀐 주소로
술술 부시던데.
아, 아아…
그랬구나….

…으으음
그랬구나아….
꼬옥..
취했네.

꿈뻑..
…….

저, 아저씨.
뭐 하나만
말해도 돼요?

하지 말라고
하면 안 하게?
그건
아니지만…
해봐.

저요, 사실은.

아저씨를
오래 기다렸어요.
혹시라도
아저씨가 돌아오신다면
꼭 하고 싶은
말이었는데….

그래.

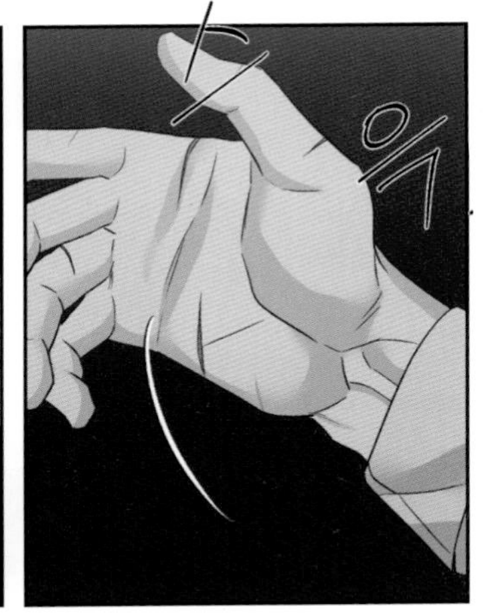
스윽..

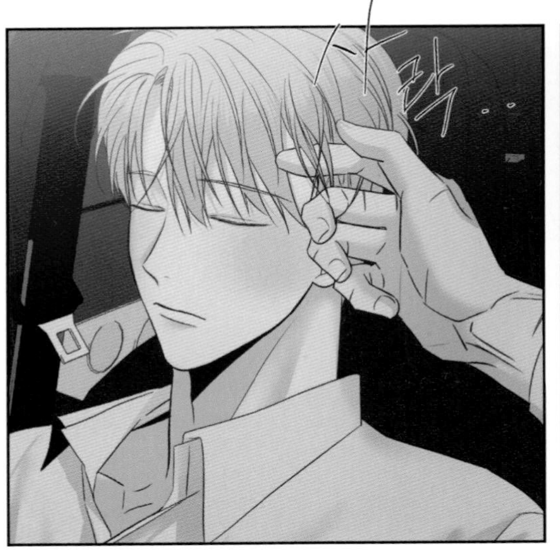
사락..

…하아.

Chapter
21

들어가.
데려다주셔서
감사해요.
부비적…
그럼…
들어가 볼게요….

…아.
그런데…
제가 계산을 했나요?
아니.
어, 정말요…?
어떡하지….
아, 제가 지금
집에 가서
현금이라도…
됐고.

다음에 사.
탁..
…어, 그….
부웅―
다음에….

토요일 아침
짹..
짹..

…으음….
톡..
톡..
…응?

메시지
그룹채팅
김태영
야 여의준! 니 애인 한달 전에 우리 회사 취직했던데? 알고 있었냐?
주연이
엥 진짜??
김태영
어 ㅋㅋ 걔 우리 대학이었잖아. 교수가 나랑 같은 회사 추천해 줬나 봄 ㅋㅋㅋ 블랙기업인데 ㅋㅋㅋㅋㅋ
주연이
김태영
아 슬프다.
취직…?

슥..
슥..
혹시 취업 준비로 바빠서 연락을 안 받았나? 그런 것도 몰랐는데….

전화좀 줘 ㅎㅎ
걱정된다. 이거 보면 전화좀 줘 ㅎㅎ
언제 시간 돼? 얘기할 게 있어. 너도 예상하고 있을 얘기일 지도 모르겠다. 전화 줘.
내 메세지는… 아직도 안 읽었네….
1년도 채 안 되는 연애가 벌써 끝을 보이고 있었다.

그러고 보면
대학을 다닐 때
오랫동안 좋아했던 현우도,

어느새 마음을 다
줘버린 것처럼 좋아했던
아저씨도.
가까워지려 하면 오히려
빠르게 멀어져 갔다.

…혹시 나는,
좋아하기에는
조금 모자란
사람인 걸까.

지이잉-
지이잉-
!

이거, 아저씨
번호였지….
여보세요?

집 앞인데.
…네?

꿈
뻑..
…집 앞이요?
누구 집
앞이신데요?

씨팔, 네 집
앞이지 그럼.
으아아
아아아
다른 새끼
집 앞에서 너한테
전화하겠니?
…그, 그렇긴,
한데….

나와.

점심 사야지.
뚝-
…….

처
억
여기요.

…….
스윽..

팔랑..

이게 뭐지.
빚졌던 돈, 갚은 거예요.
어제 계산해 주신 것까지 넣었는데… 혹시 부족하다면 말씀해주세요.

…뭐,
계산은 맞는데.

저, 그럼…
이걸로 끝난 거죠?

…다행이다.
뭐가.

꾸욱..
…….

이제,
더 이상은…
연락하지 않으셨으면
좋겠어요.

저희가…
편하게 볼 수 있는
관계는 아니라고,
생각…해서요.
그래도… 그 돈은
저도 꼭 갚고 싶었는데
갚을 기회를 주셔서
감사합니다.

그럼…
가볼게요.

저벅..

…잊으신 게
있는데.

스윽..
…네?

깡패 새끼한테
원금만 갚으시겠다?

…….
아,

…푸핫, 뭐예요.
장난치시는 거죠?
2만 8천 원인데
이자가 붙으면
얼마나…

…어디까지
붙일 수 있는지
궁금하니?

어, 어, 어, 어, 얼,
덜덜
얼마나…
덜덜

슥..
뭐…

이자는,
시간으로 칠까.
꿈뻑..
꿈뻑..
…시간이요?

아저씨가 제안한
청산 방법은,
내가 만든 요리를
대접받겠다는 내용이었다.

완전
억지야….
하아..

왜 이러시는 걸까,
정말 이유를
모르겠네….
이거 주세요.
하지만 아저씨를
말로 이기는 건
불가능하고….
※힘으로도 불가능하다.

마지막이라고
하셨으니까,
믿어보는 수밖에
없나….
정말 제가
해드리는 식사로
괜찮으시겠어요…?
저, 요리
잘 못하는데….

얼마나 못하나
먹어보지 뭐.
삐죽..

음…
됐다. 다 샀으니까
이제 돌아가요.
그래도 아저씨
덕분에 진짜 오랜만에
장 봤네요.

휙
이쁜 총각~

…?
두리번…
여기, 여기!

이거 하나만
먹어보고 가,
이쁜아~

?
저,
저요…?

엄마손만두
엄마손만두
엄마손만두
아주 이쁘다고 해주면 좋아가지고.

…맛있어서 산 거예요.
꼬옥..
그러시겠지.

저, 정말인데요.
누가 뭐래?
…….
두 번 들었다간 지갑 거덜 나시겠지만.

그만 놀리세요….
칫..
저도 그냥 해주시는 말인 거 다 알아요.

제가 그런 말 들을 나이도 아니고….

그런가.
예쁜데, 왜.
……?
…….

탁..
아까 예쁘다고 하셨던 거…
저벅
저벅
별 의미 없는 말이겠지?

…아, 겉옷은 저 주세요. 제가 걸어둘게요.

훌렁..

흠칫
…아.

막상
집에 들어오니까
긴장되네….

너무 생각
없었나?
아무리 그래도
한때 그랬던…
사이였는데….

저, 아저씨.
홱
생각해봤는데요,
역시 집에서 먹는 건
좀…
왜.

잡아먹기라도
할까 봐?

…그,
화악
그렇게 말하려던 건 아니에요….
돌직구….

털썩..
자.

여기
얌전히 있을게.

부스럭
그럼 얼른
준비할게요.
부스럭
이별 선물로 받은
편의점 앞치마

스윽...

웬 꽃.

…아, 그거….
남자친구한테
선물 받은 거라 말려서
매달아 뒀어요.

…아하.

…….

휙…
잘 지내나 보네.
애인이랑.

그건…
아니지만.
네에, 뭐어….

…아, 맞다.
아저씨는요?
연애는
안 하세요?
아니면 혹시
결혼하셨다거나….

끼익
둘 다 딱히.

음… 아저씨가
연애를 '못' 하실 리는
없을 것 같고…
평일에도 밤늦게
일하시더니…
일하느라 바쁘셔서
연애 안 하신 거예요?

아니.

조~옹....
…….

…끝이야? 정말 말이 없으시다니까….
어색한데, 또 무슨 질문을 해볼까….
음..
그냥…

탁..

아…

아무것도 아니에요,
그냥 손가락을
조금 베여서….
아이고…
잠깐 반창고만
붙이고 올게요.

스윽…
봐.

…….

약은.

저쪽 서랍에…
아, 그런데
약 바를 정도는
아니에요.
제가 알아서…

저 서랍?

…….

좋아하는 놈이랑
하려고.

내가 널
좋아한다고.

…….
아니겠지.

감사합니다.
괜찮아요,
못 할 정도로 다친 것도
아닌데요 뭐.

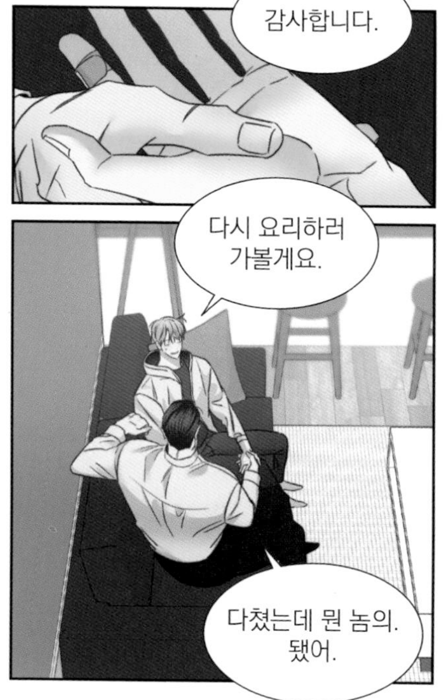
다시 요리하러
가볼게요.
다쳤는데 뭔 놈의.
됐어.

…….

…저, 아저씨?
이만 놔주셔도 돼요.

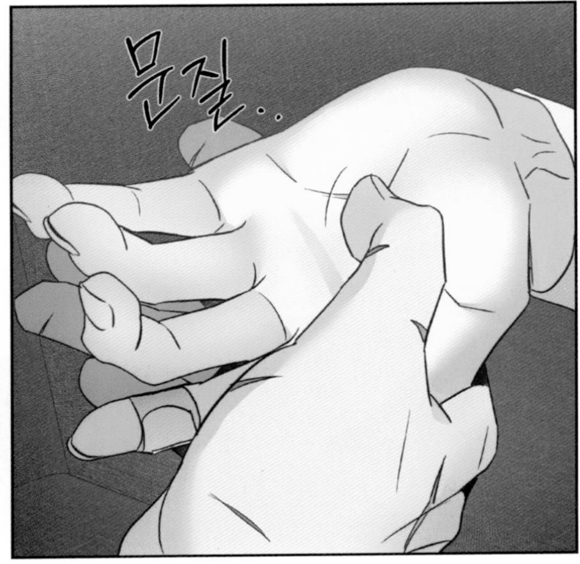
문질..

…저,

아저…
흉터, 안 남아서 다행이네.

…네?

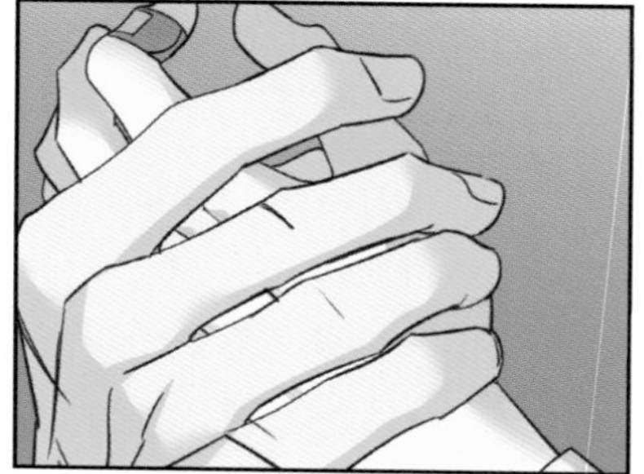

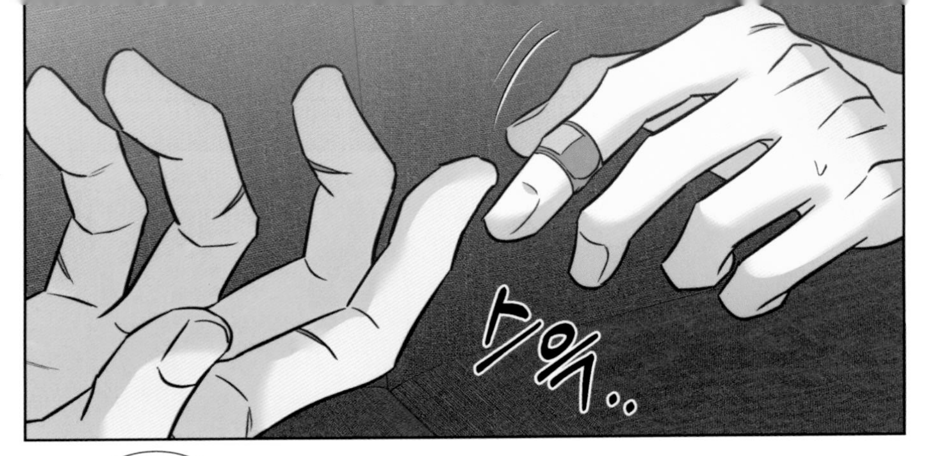
스윽..

…….
…아저씨.
만지작..

이미…
끝난 사이예요.

저희는
3년이 넘도록…
소식도 없이
떨어져 있었어요.

저는…
왜 다시 돌아오지 않으셨냐는 말도
묻지 않을 거예요.

제가 또 아저씨를 곤란하게 만들 수도 있으니까요.
그리고 저도…
글쎄요,

더 이상은 하고 싶지…
않은 것 같아요.

…아, 그래.
저한테는…
애인도 있으니까….
맞아요,
그러니까… 저희…
이제는 정말
그만해요.

…….
처음부터…

맞지 않는
사람들이었나 봐요.

그냥…
그렇게 생각해요,
저희.

…그렇게
생각하고 싶어요.

…그렇지 않으면,

웃… 아아…
흑…!
아…!
부들..
큿…

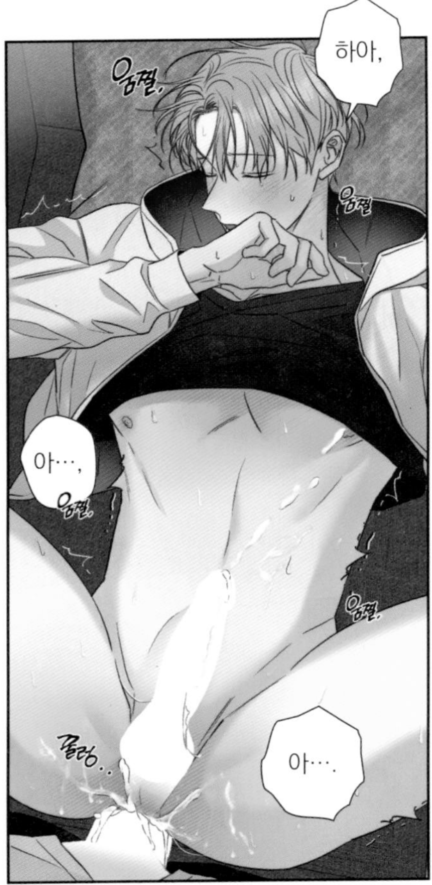
하아,
움찔,
움찔
아…,
움찔,
움찔,
아….

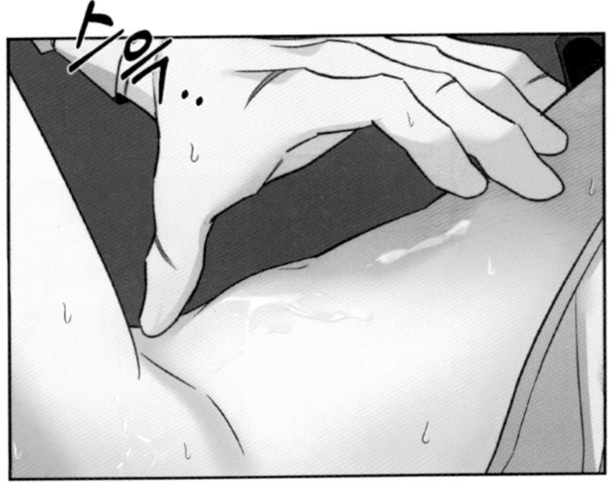
스윽..

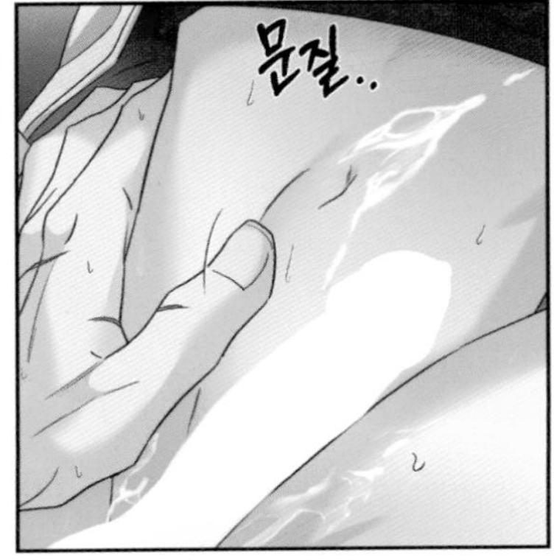
문질..

으응….
움찔..

…….

씹…
끼익——..

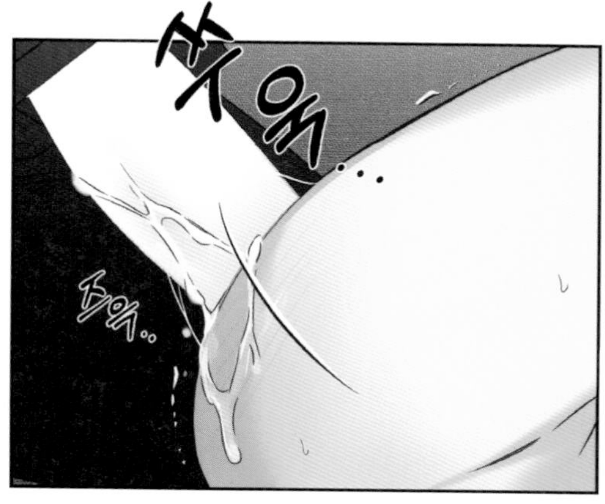
쑤욱…
쯔윽..

쑤욱…
응….
울컥
울컥

흐읏!
퍼억
퍼억
퍽
응…!
퍽
퍽
아으! 아!
하윽!

아…!
퍽
끼익
퍼억
끼익
으응!
아!
퍽
퍽

아…
퍽
헉
움찔..
허억
움찔..
정신이,
…하나도
퍼억
없어…….

퍽
…!
지이잉—

끼익
헉
헉
끼익

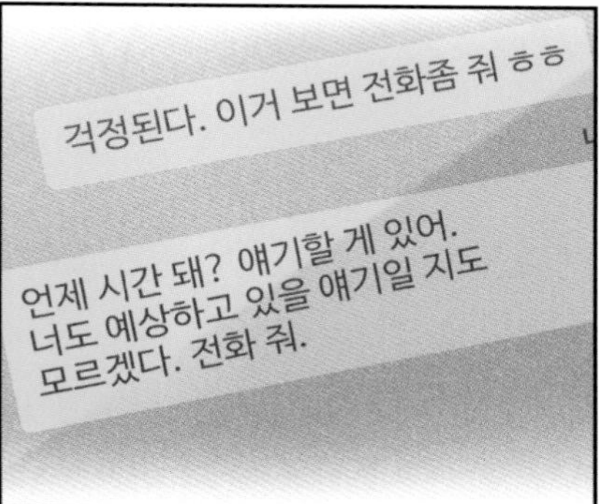
걱정된다. 이거 보면 전화좀 줘 ㅎㅎ
언제 시간 돼? 얘기할 게 있어.
너도 예상하고 있을 얘기일 지도
모르겠다. 전화 줘.

꾸
욱..

꼬옥
..

으읏-

아—
퍽
퍽
퍽
으응…!
아!
하으윽…!
퍽
철썩
아…!
철퍽
아!
쩔퍽
스윽
…

으응…!
움찔,
하아..
…….
끼익..

츄읍…
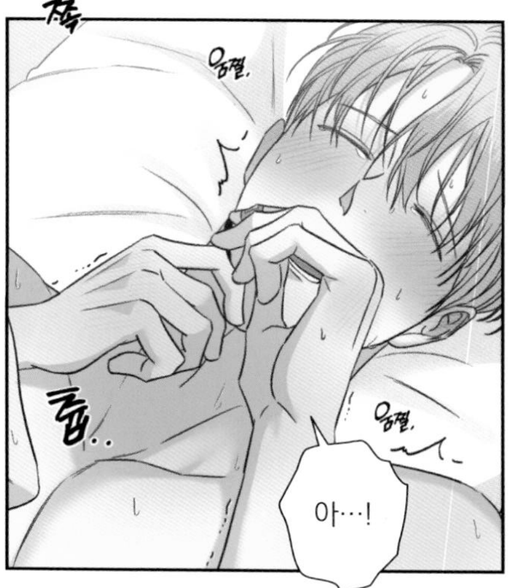
쪽
움찔,
츕..
움찔,
아…!

하아, 아…
아저씨이…
으응….

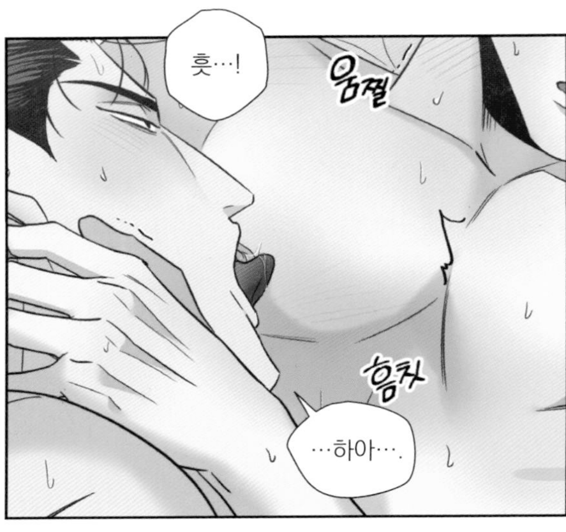
흣…!
움찔
흠칫
…하아….

스윽..

끼익..

스읏..
……하아,
아…
…….
쓰담..
…뒤돌아.
…….
찌익..
쭈욱..

찌걱..
읏…!
바들..
아…,
움찔,
흣…!
움찔,
윽…….

콰악
아아… 아,
아아읏…!
저릿..
넣기만 할 때도…
저릿…
너무 좋아서…,
이상해….
쑤욱…
응…

꾸
욱
으읏…! 아!
아… 으응…!

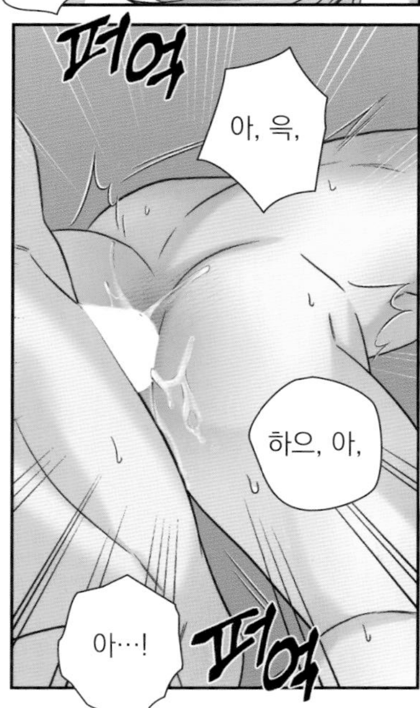
펴억
아, 윽,
하으, 아,
아…!
펴억

아…!
펴억
바들
바들
퍽
푸슉
아…!
픗
퍽
퍽

퍽
바들
바들
퍽
으응…!
하아…,
씹….
팍
퍼
억
응…!!!
…아,
안ㄷ…,
덜덜
덜덜
너무, 아…
덜덜

퍽
퍼억
아! 윽!
응!
하아,
퍽
아저씨이,
아아…!
퍼억
퍽
아, 아저씨,
아,
퍽
아, 아…
으응,
아, 하윽!
퍼억
끼
익ㅡ
흑ㅡ!

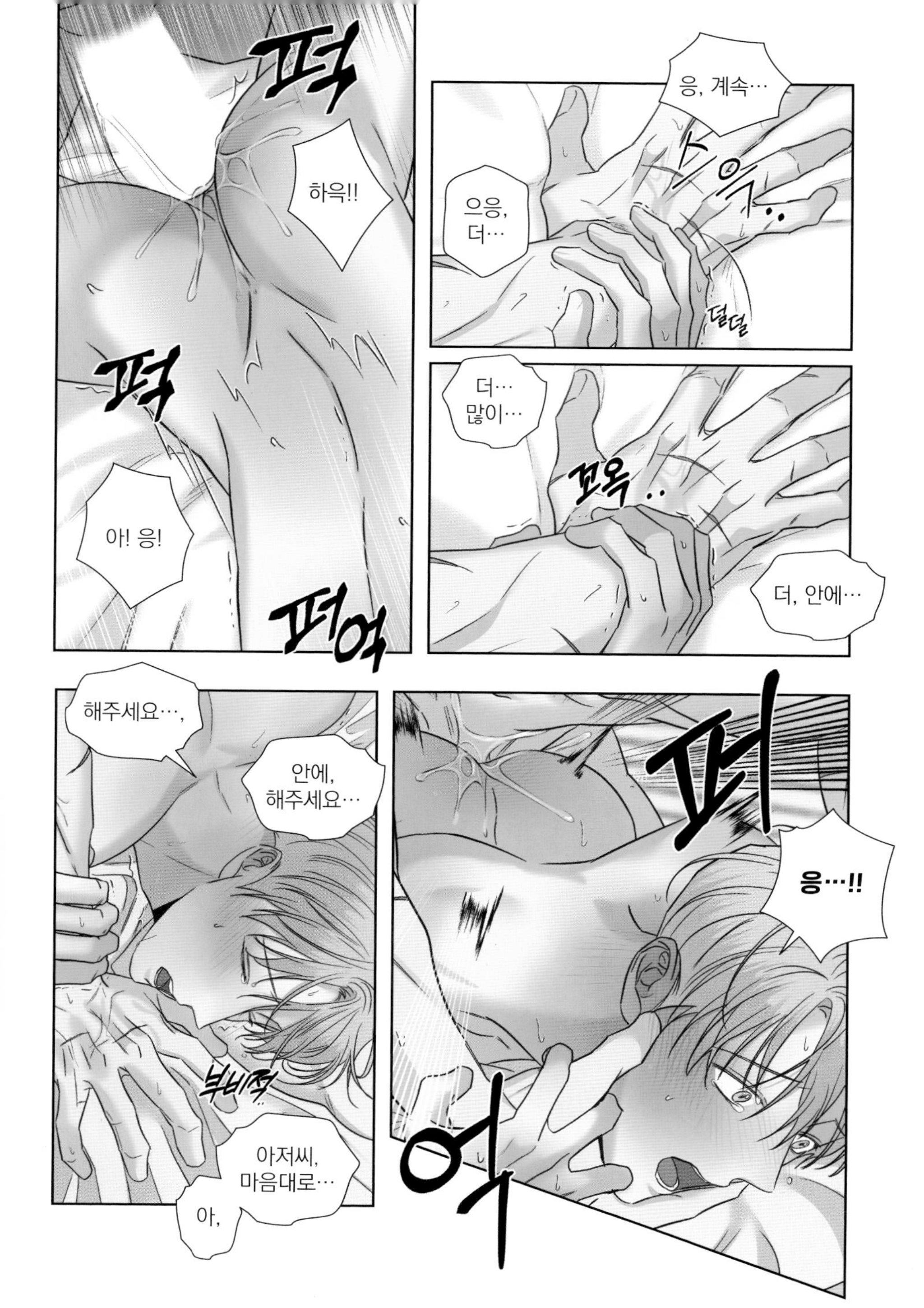
퍽
하윽!!
퍽
아! 응!
퍼억
응, 계속…
으응,
더…
스윽…
덜덜
더…
많이…
꼬옥…
더, 안에…
해주세요…,
안에,
해주세요…
부비적
아저씨,
마음대로…
아,
퍼
응…!!
억

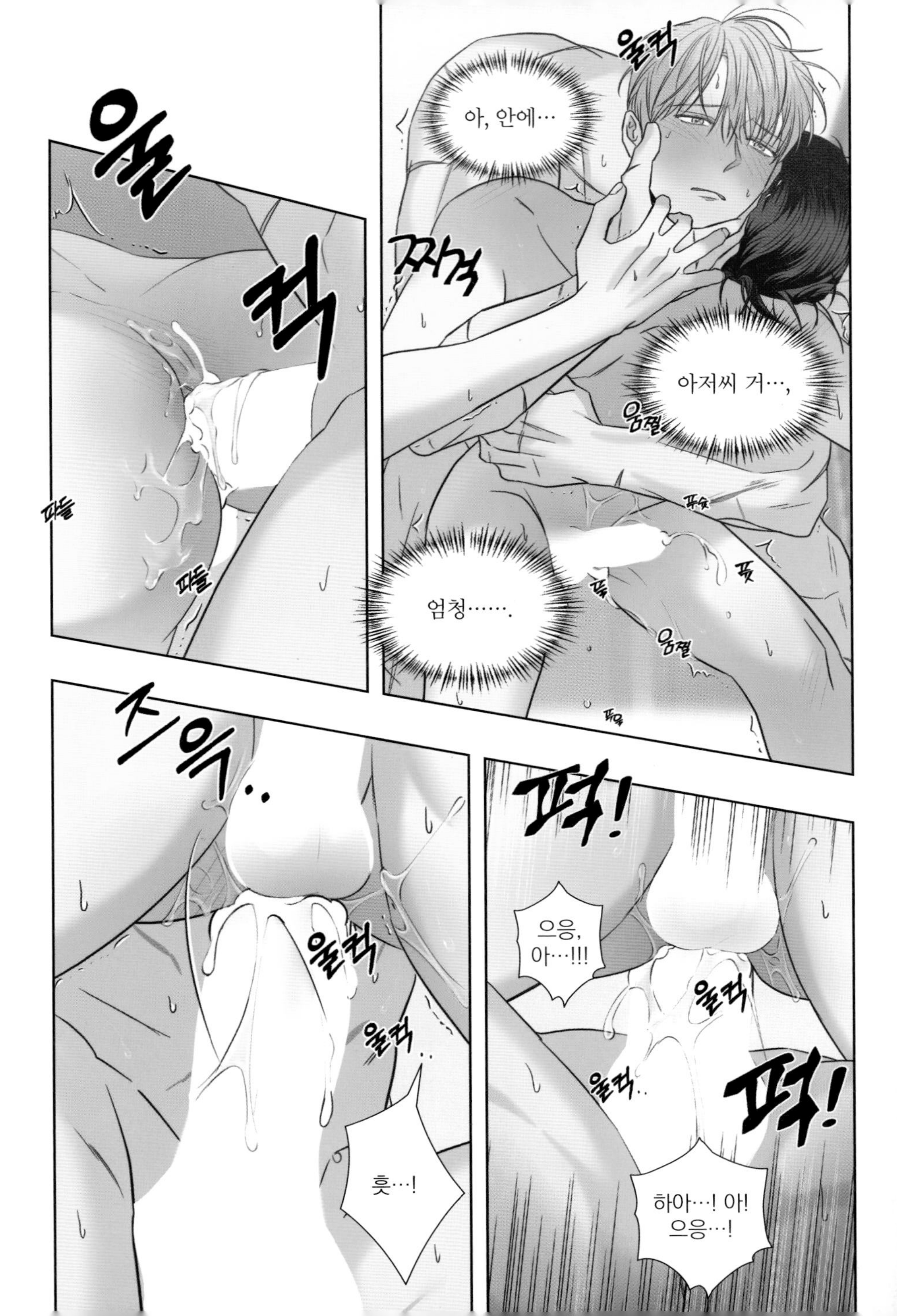
아, 안에…
아저씨 거…,
엄청…….
으응, 아…!!!
흣…!
하아…! 아! 으응…!

아저씨는 한시도 쉬지 않고
내게 몸을 부딪혀 왔다.

체력이 바닥나
기절하듯 쓰러졌다가
하아…
퍽…
퍼억…
무거운 눈을 뜨면
퍼억…
퍽..
아….
여전히 아저씨가
거기에 있었다.
하아,
…하아….
하아…,
윽, 씹…

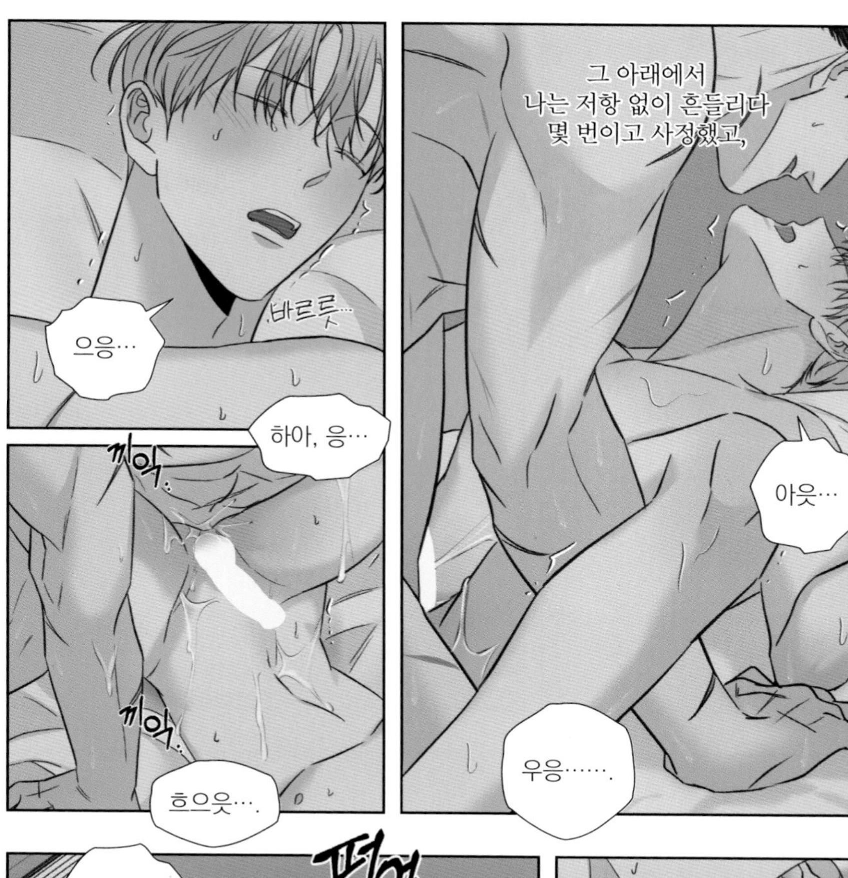
바르르…
으응…
하아, 응…
찌억..
찌억..
흐으읏….
그 아래에서
나는 저항 없이 흔들리다
몇 번이고 사정했고,
아읏…
우응…….

퍼억..
아으…,
흐으…
언제부턴가는
더 쏟아낼 것도 없게
느껴졌다.
아아….
퍽..

꾸욱..

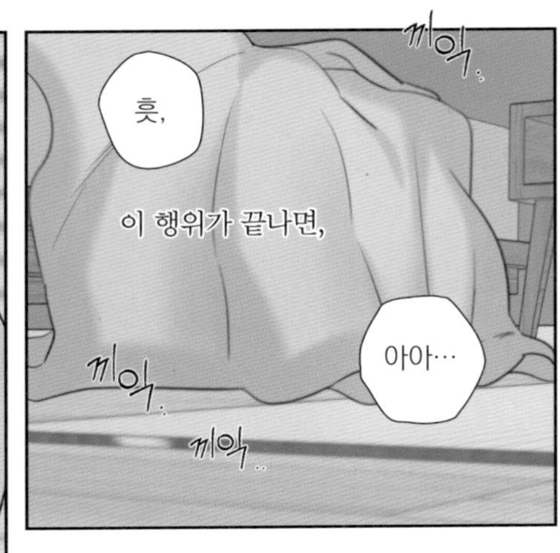

오직 후회만 남을 것을
알고 있으므로.

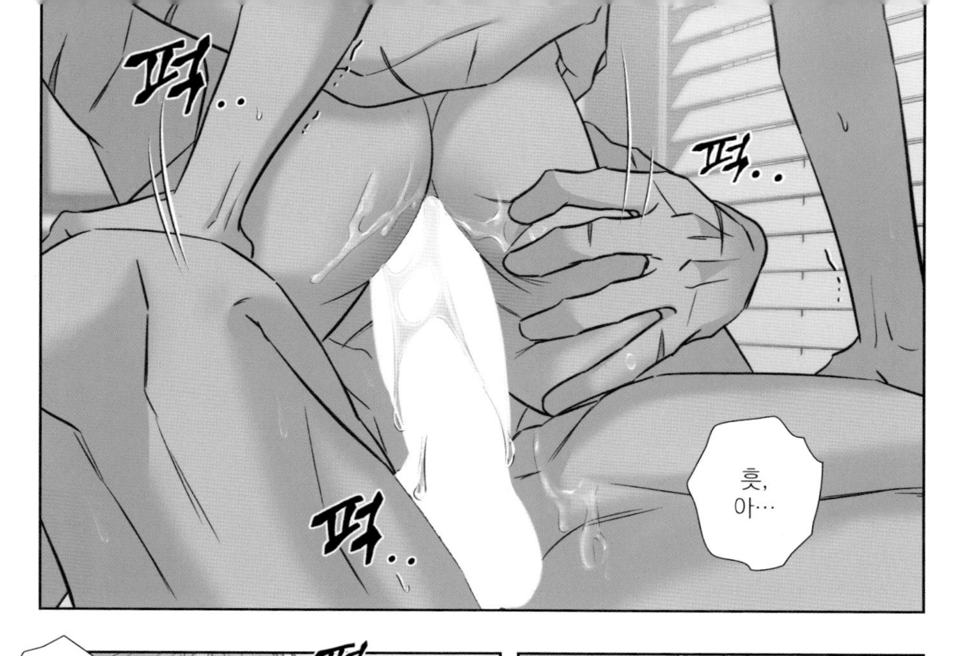
퍽…
퍽…
흣,
아…
퍽…

응…,
퍽
쪽…
쪽…
찌걱
아아….
찌걱
퍽
응…
끼익
아으…
아,
끼익
퍽
아아….
퍼억

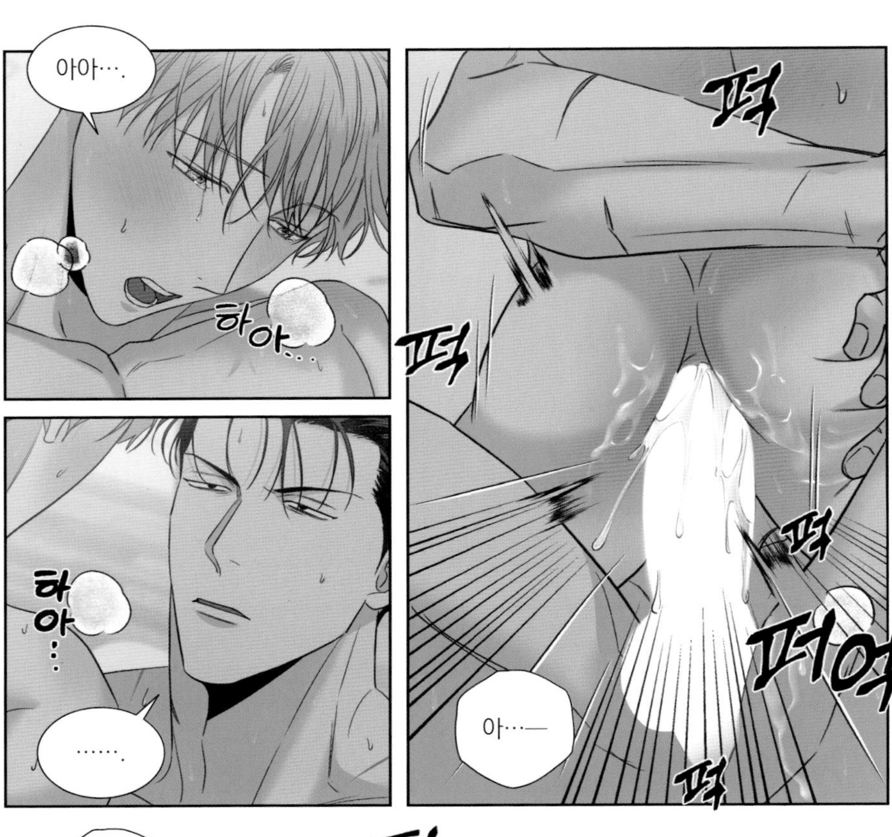
아아….
하아…
하아…
…….
퍽
퍽
퍽
퍼억
아…—
퍽

퍽
읏, 아아…
퍽
아…!
퍽

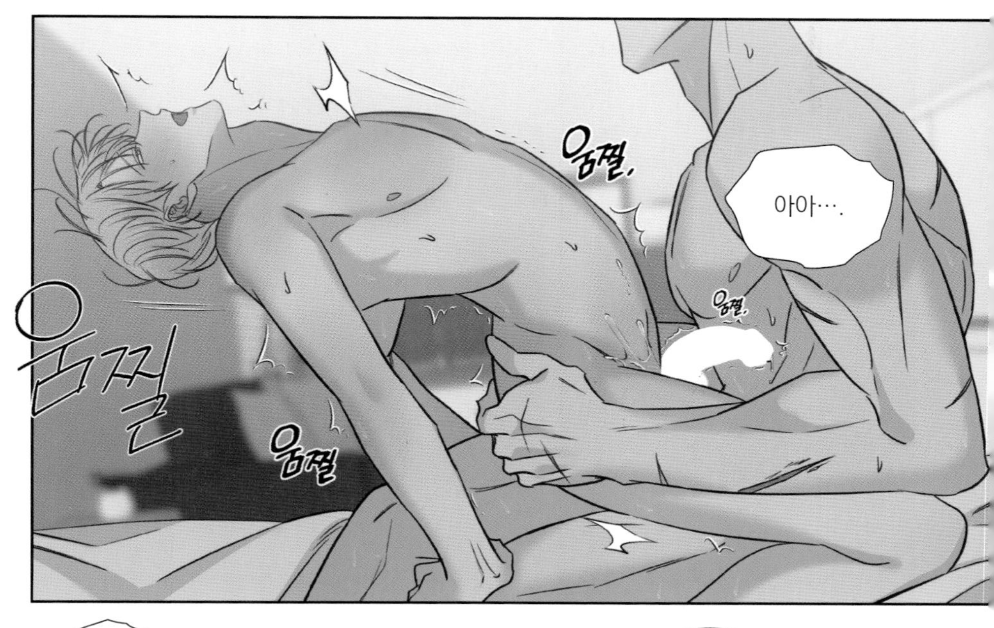
움찔,
아아….
움찔
움찔
움찔,

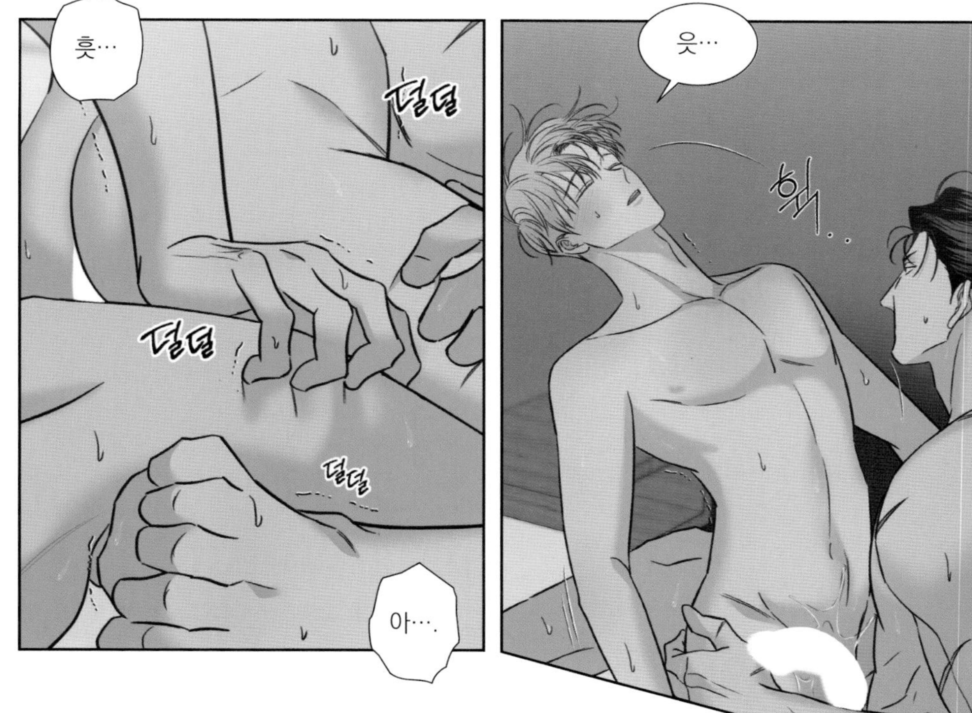
흣…
덜덜
덜덜
덜덜
아….
읏…
휙…

스윽..

꼬옥..

…….

끼익..

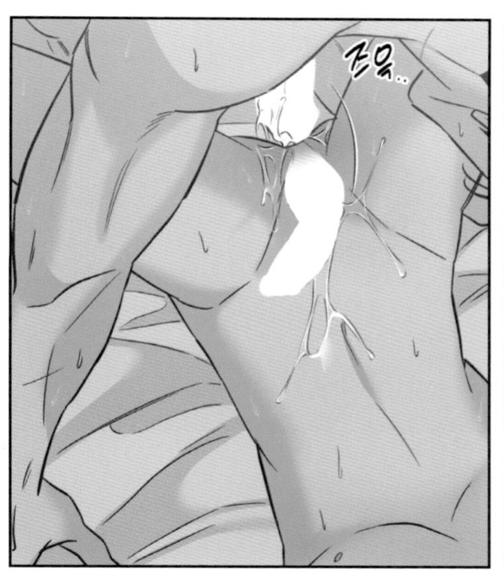
즈윽..

쌕..
쌕..
스윽

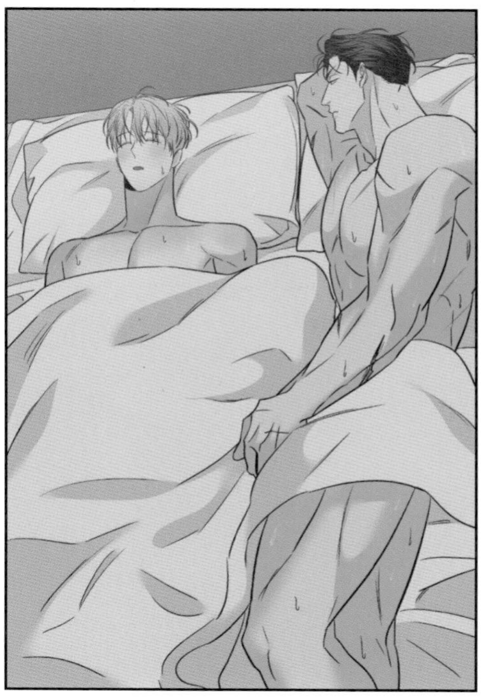

스윽..

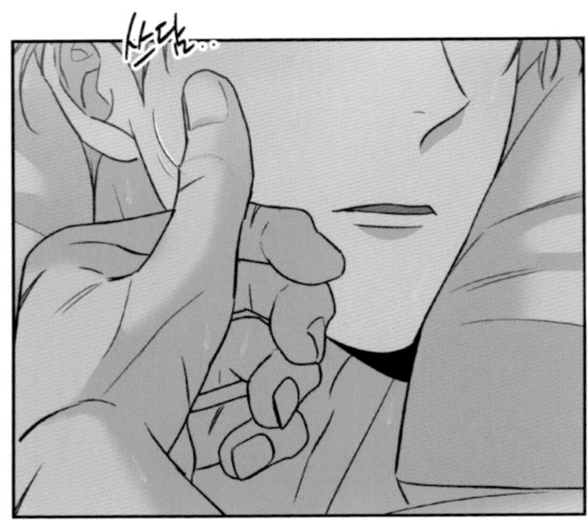
쓰담..

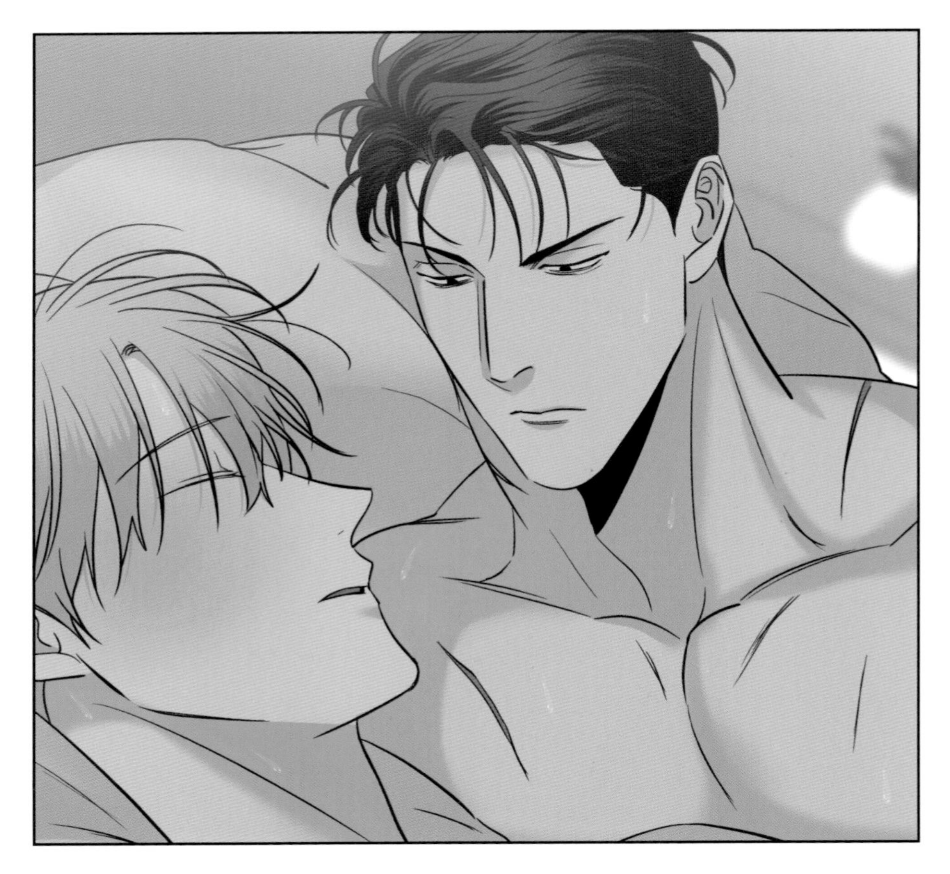

…보고 싶었어,
의준아.

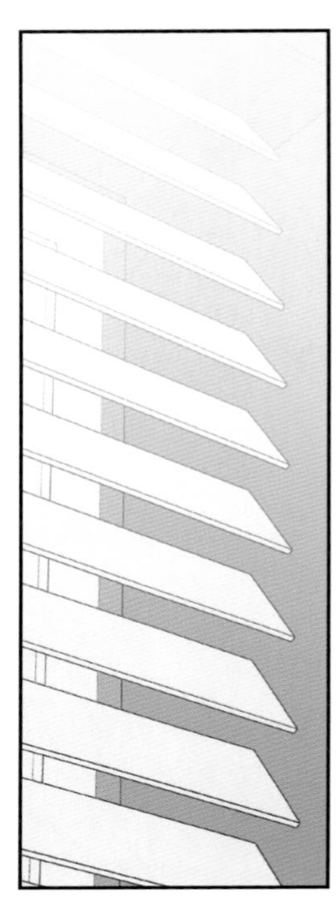

킁..
킁..
킁..
맛있는 냄새다….

끼익
..
…어….

치이익—

일어났으면 와.

꿈뻑..
…….

…왜.
달랑..
나이 많은 놈이
먼저 들어야 되나?

빤..

아, 아뇨,
그, 게 아니라…

그냥…
…기분이
이상해서요.
…뭐가.

…….
3년이 훌쩍 넘는 시간 동안
아저씨를 잊기 위해 발버둥쳤었는데

아저씨와 있을 때마다 항상 존재했던,
정의할 수 없는 불안과 무력함.

탁..

…….

듣고 싶은 얘기가
있어요.

꾸욱..

…왜 3년 동안,
아무 연락… 없으셨던 거예요?

제가… 아저씨한테 큰 상처를 드렸다면,
사과를 드리고 싶었어요.
그런데, 그 후로 아저씨를 만날 수가 없어서…

…….
왜….
왜 그러셨어요…?
들어야 한다고 생각해요.

아저씨가 어떤 말을 하든,
아무것도 변하지 않을 것이다.

이제 더는 그 무엇도
바라지 않게 될 테니까.

고작…

변명뿐인 얘기야.

네 아버지는
내가 죽였어.
하아..
…….
하아..
…하하.
…그래….
원망 안 하니.

…자세히는 몰라도,
어렴풋이 예상은 했어.
아버지는 형을 아꼈지만,
대가 없이 호의를 베풀
사람은 아니었으니까….
죽어 마땅한
사람이었으니…
형한테도,
…그럴 만한 짓을
했겠지.
…그런 관심마저도
부러워서,
뚝..
외면했을 뿐이야.

…….

휙
툭..

…….

네가 나를 밀어내서

부웅—
기약 없는 만남을 고대하며,
그리워할 사람은

세게 때렸어야지,
다행이라고 생각했다.
착해 빠져가지고.
나 혼자면 충분했으니

김 이사가 고발을
포기했습니다.
1년 반 만이군요.

팔이라도 쑤셔놓으니
만족을 하셨나….
하여간
끈질긴 양반이야.

그러게 말입니다.
그럼 이제…
본격적으로
회사 내부 정리에
들어가시는 겁니까?

그래야지.
스윽..
!

벌써 하고 계셨나….
조직 설립 당시부터 연을 이어왔던 계약처와… 임원진 명단이군요.
일단은 계약처부터 잘라내.

예. 반발이 꽤 있을 테지만…
…몇 년 예상하십니까? 맞춰서 일정을 짜보겠…
얼마나 오래 걸리든 상관없어.

확실히 해야지.

…예. 알겠습니다.
나가봐.

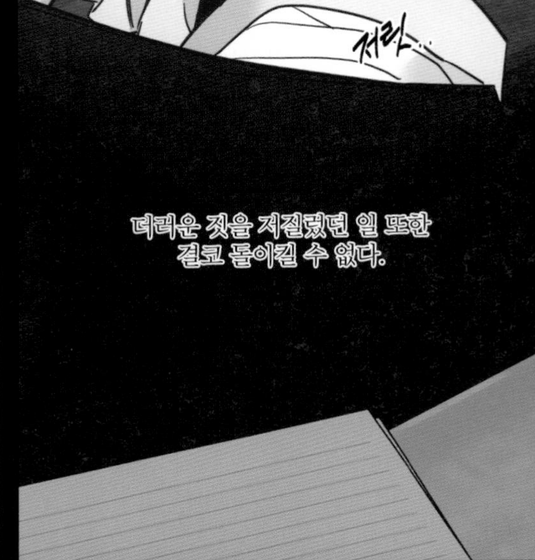
더러운 것을 저질렀던 일 또한
결코 돌이킬 수 없다.

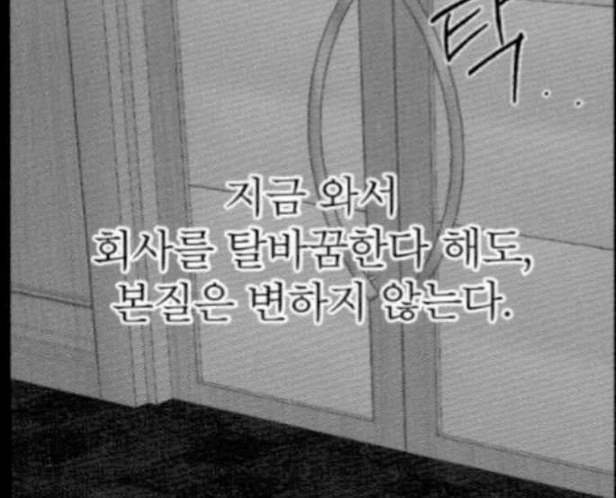
탁…
지금 와서
회사를 탈바꿈한다 해도,
본질은 변하지 않는다.

역하군.
그래도,

…그거면 됐나.

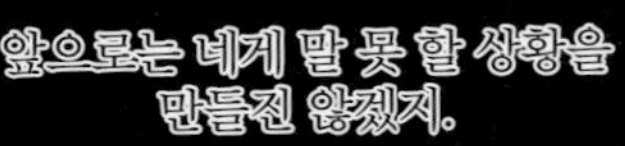
앞으로는 네게 말 못 할 상황을
만들진 않겠지.

밤 열한 시부터
아침 일곱 시.

네가 일하던 시간.
담배가 다 떨어졌던데 편의점이나 갈까….
끼익
갈 때는 꼭 이 시간 가게 된단 말이지.
먼저 떠난 주제에, 나는 너를 매일 생각한다.
너와 지냈던 시간을, 여전히 나는 매일 생각한다.
그래서일까.

너를 다시 만나게 되면

태연하게 인사를
건넬 수 있을 것만 같았다.

너의 미지근한 반응에 애가 달았다.

나 때문에
너는 오래도록 아팠다.
그런 네게
…차채현의 사업을
돕기로 했어.

앞으로는
떳떳한 회사로
운영하겠다는
계획이었지.
모든 것은 결국
위험부담이 있었고,
널 휘말리게 하고 싶진
않았어.
네게 다시
돌아오기
위함이었으며,

그 일이 어느 정도
마무리가 되면,
…그때 너를 찾으려고
했던 거야.
단 한시도 너를
잊은 적 없다고.

…고작,
그게 다야.
그런 구차한
사정 따위는 말할 수
없었다.

네게 감히 용서를
구하는 것 같아서.

…그러려고.

벌컥
저…
그러고 보니
이번에도 빚을
못 갚았네요.
제가
요리해드렸어야
했는데.

처음부터
억지였잖아.
슥…
안 갚아도 돼.

…아저씨.
저요,

남자친구와…
제대로 헤어지지
않았어요.
그런데 이렇게
충동적으로 행동해
버린 거예요.
…그랬으면
안 됐는데.

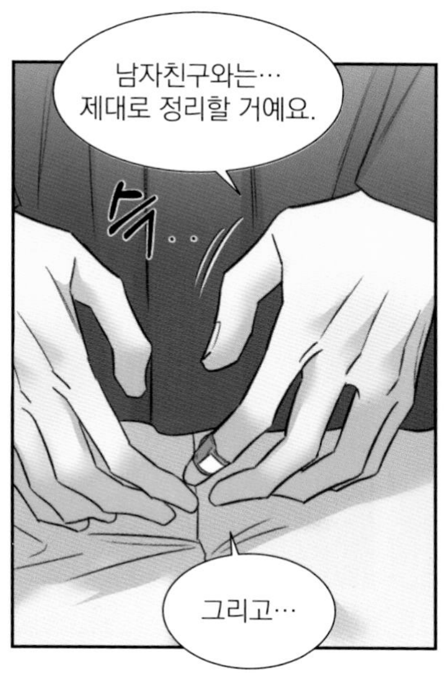
남자친구와는…
제대로 정리할 거예요.
슥..
그리고…

아저씨와도,
앞으로는
보기 힘들 것 같아요.

그게…
맞는 거니까요.

스윽..

일요일인데
푹 쉬고.
탁..

스윽…
따끔…

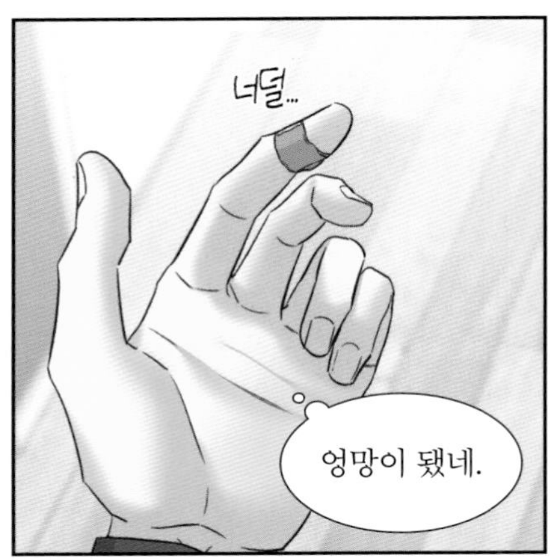
너덜…
엉망이 됐네.

슥…

툭…
금방 나을 거야.

월요일 저녁
휘이이이

부장님도 참…
갑작스럽게 당장 내일
발표를 하라니….

그래도 곧 다 해서
집에 갈 수 있겠다.
월요일부터
야근이구나~

…….
스윽..

그때…
남자친구한테
답장이라도 왔나 싶었는데
스팸문자였지….

가족과 함께 산다고
집에는 초대해 준 적이 없어서,
찾아가기도 쉽지가 않네….
끼익..

언제 시간 돼? 얘기할 게 있어.
너도 예상하고 있을 얘기일 지도
모르겠다. 전화 줘.
타닥
어지자. 연락은 안 해도 돼. 그동안 고마웠어. 잘 지내.
…얼굴 보고
마무리 짓고
싶었는데.

꾸욱..

지이잉—
010-4028-XXXX
!

지이잉—
…….
지이잉—

딸칵..
…여보세요.

…아저씨,
왜 연락하셨어…
회사 앞인데.

…네?
그게 무슨….
끼익.
…설마.

드르륵
!

휘오오..

…….

여긴 어떻게 알고 오셨어요….
탁..
대충.
대충…?
채현이 형한테 들으신 건가….

혼자 일하고 있나?
하아..
톡톡.
…그렇…긴 한데,
왜 여기에….

눈 멎을 때까지
잠깐 안에 들어가
있고 싶은데.
……?

어…, 아?
안… 되죠…?
너무 당당해서
순간 당황했다.

스윽..
눈이 너무 많이 와서 차를 못 끌 것 같은데…
…아저씨, 어제 제가 한 말 잊으셨어요?
하아…
게다가 남의 회사에 들어오시겠다니 말도 안 돼요.
도로 얼기 전에 얼른…
내가…

운전을 잘 못해.

눈 오는 날에는 특히.

…말도 안 돼.

…안 돼요.
남의 회사에 들여보내 달라니.
말도 안 된다는 거, 아저씨도 알고 계시잖아요.

그리고…

앞으로는… 연락하지 말아주세요.
하신다고 해도, 이제는 정말… 받지 않을 거니까….

…죄송합니다.
꾸벅…
추운데 조심히 들어가세요.

휙
콜록….

스윽..
미시오

회사
내부 계단
…여기 계단에
앉아계시는 건
괜찮아요.
바람은 안 부니까
훨씬 나을 거구요.

스윽
그럼…
여기 계시다가
눈 멎으면 가세요.
아셨죠?
추운데.

실내니까 밖보단
훨씬 나을 거…
문틈이
안 닫히네,
이거.
툭
툭

휘잉…

…….

추워.

그래도 사무실로
들어오시는 건 안 돼요.
회사 내부 보안을…
신입이 뭘 그리
중요한 문서를
다룬다고.
그, 그런 걸
다루고 있는 건
아니지만…
내가 뭐,
기업 기밀이라도
빼돌릴까 봐?
그, 럴 것 같지도
않지만…

…아, 아마 CCTV가 있을 거라서…
도둑이 들지 않는 이상 돌려볼 일 없어.

…….
…….

가만히 앉아만 있을게.

졌다.
찌익
찌익

여기 가만히 계셔야 해요.
둘러보시면 안 돼요, 아셨죠?

그럼 볼 게 너밖에 없는데.

…….

눈 감고 계세요.
알았어.

사각..
사각..

…어라.
그러고 보니…
추우면 차에
히터 켜두면
되잖아….
움찔…
왜 이런 건 꼭
나중에 생각나는
거야…?
됐다,
이미 여기까지 들여
보낸 걸 어쩌겠어….

하여간,
3년 동안 억지가
더 느신 것 같아…
흘긋..
딱

누, 눈…
감고 계시라고 했잖아요….
그랬나.

까…
깜짝이야….

스윽..

…정신 차리자.
몇 번이고 밀어내는 것은 나였음에도
아저씨에게 흔들리지 않는 방법은 여전히 알지 못했다.

사실은 단호하게 거절할 수 있으면서 흐지부지 받아주는 것뿐이잖아.
어떻게 보면 바람을 피운 상대인데… 나도 정말 답이 없구나….

…됐다,
어차피 거의 다 했으니까
얼른 퇴근해야겠어.
타닥
타닥
그럼 아저씨도
더 있겠다는 소리는
안 하시겠지.
…여의준.

애인이랑은.
정리했니?
멈칫

…….
꾸욱..
결국 일방적인 통보를
하게 된 것뿐이지만.

…네. 아마,
자각…
그런 것 같아요.

흘긋..
…그래.

슥..

사락...

흠칫..

문질..

머리 자를 때 됐다.

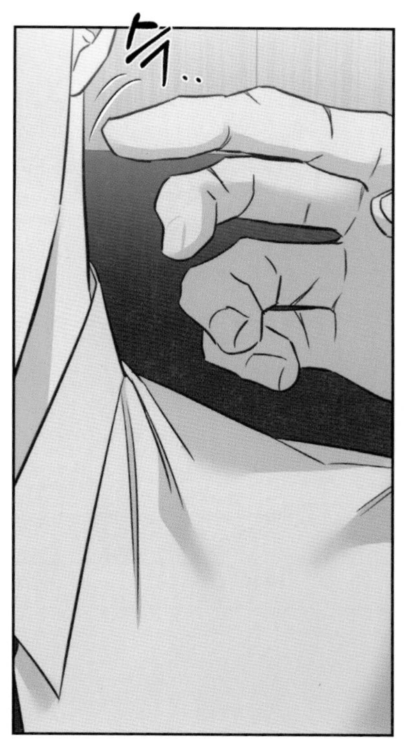
슥..

…노.

놀랐…잖아요,
하지 마세요.

빨갛네.

무슨 생각 했어.

아,
아무 생각,
안 했어요….

나는 했는데.

읏…

응….
후읏…

하아…

문질..
하아…,
꼬옥 ..
아….

흐읏…
…의준아.

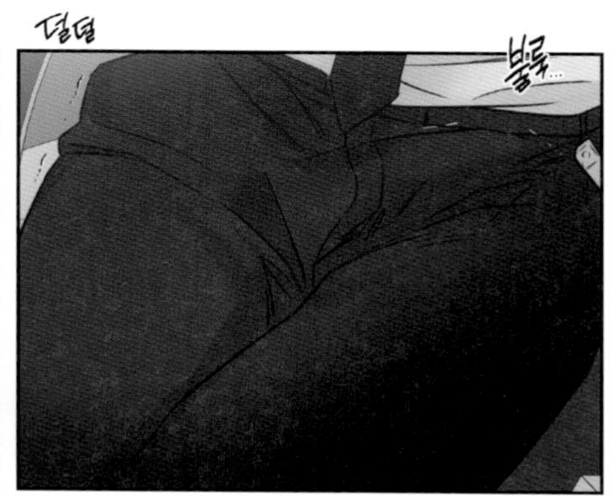
덜덜
불룩…

빨아줄까.

하아,
아…,
흐응….

아, 으,
으응…

쭈
욱..
하읏…

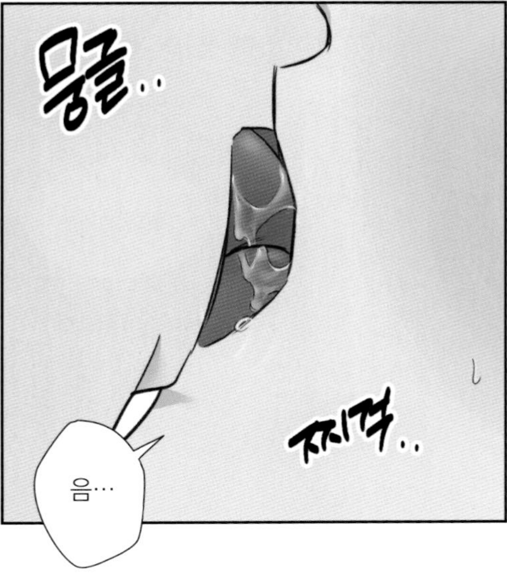
몽글..
찌걱..
음…

꿀꺽..
읍…
덜덜

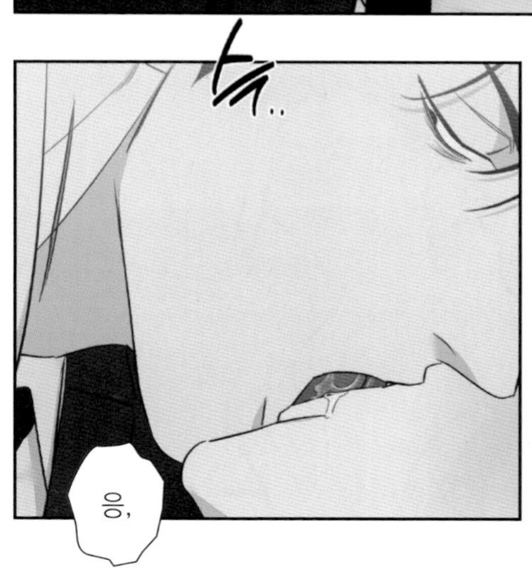
하..
읍,

지익-

스륵
툭

쑤욱

움찔..
핫…
파들..

움찔
흑…!

음…
응,
흡…
츠읍…
프하…!
응…!!
하아
하아
앗…
아, 저씨…,

움찔.

아…
응…!

아…!!
흑…!
꾸
욱
안, 돼,
더, 러워요…!

아
으
비틀
비틀
흑
아아
아

아저씨…

…하아.

…아,

윽—
파들
파들
움찔
으,
아아…
윽,
흐…윽!
덜덜
덜덜
아,
어떡, 해,

아,
덜덜
주춤
주춤
아, 자,
잠깐만요,
잠ㄲ…

죄,
죄송해요…,

어떡하지…,
잠시만…

아,

…어,
아저…씨?

꾸욱…
응…
꾸욱…
으, 아…,
으…

안, 되는…
데…

중심 없이 흔들리고
있다는 걸 알면서도
읏,
파들
파들
으,
으응,
아…
의준아.

싫으면…
말 해.
하윽…,
아….
나를 원하던 체온을,

아니면…
여기,
응…!

쓰셔 박아줄게,
부비적..
바라는 만큼.
꾸욱..
다정하지 못한 말을
낮게 읊조리던 목소리를.

의준아.
하아..
잊지 못해서.

밀어내도 돼.

여지없이
무너져내린다.

아…!
응! 아!
퍽
퍽
퍽
퍽
퍽
퍽
퍼억
하아…,
씨팔….
퍽
응…!
퍽

하아,
…큭….
퍽
퍼억
퍼억
…아아,

…좋아,
너무,
좋아….

지이잉-
지이잉-

…어.

저,
전화….
지이잉—
남자친구♥
지이잉—

남자친구랑, 연락이 된 적이, 없어서….
스으..
지이잉
지금, 안 받으면… 안 돼요….

…의준아.
스윽
…아, 자, 잠깐… 만요,
아, 저, 전화, 받아야… 해요.
뭐?

지이잉ㅡ
하아..
으득..
…….
지이잉ㅡ

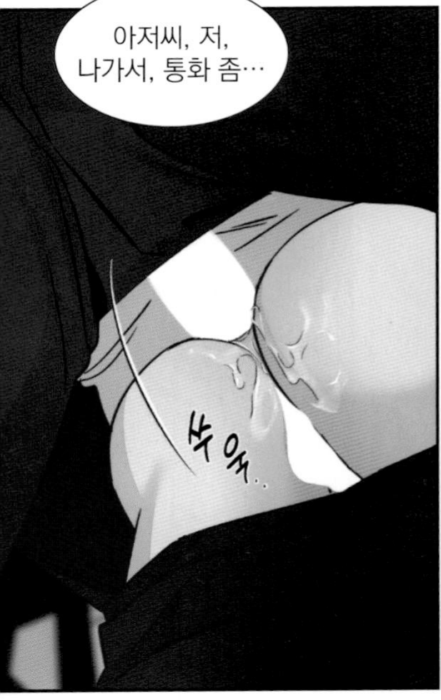
아저씨, 저,
나가서, 통화 좀…
쑤욱..

받고…
퍼억

헉…!
아, 아저, 씨,
잠, 깐,
퍽
퍽
으응…!
퍽
그, 만,
좀…
받아.
찌걱..
지이잉-..

…….
…네?
받아서,
들려주면 되겠네.
스윽…

꾸
욱
네가 지금
어떤 새끼한테
흥분하고 있는지.

…….

퍼
억
윽…

허억…

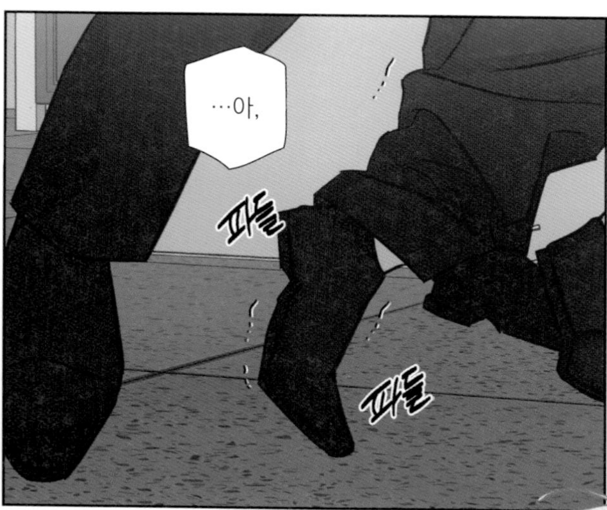
…아,
파들
파들

윽,
투둑
투두둑
응, 아아…

허억….
하아, 아,
…헉,

허억….

위험한 편의점

초판 1쇄 인쇄 2023년 12월 1일
초판 1쇄 발행 2023년 12월 20일

글·그림 945
펴낸이 정은선

책임편집 이은지
표지 디자인 URO DESIGN
본문 디자인 (주)디자인프린웍스

펴낸곳 (주)오렌지디
출판등록 제2020-000013호
주소 서울특별시 강남구 선릉로 428
전화 02-6196-0380 **팩스** 02-6499-0323

ISBN 979-11-7095-102-5 07810
979-11-92674-04-9 (세트)

www.oranged.co.kr